青蛙与男孩 ②

青蛙，你在哪里？

梅瑟·迈尔[美]

贵州出版集团公司

贵州人民出版社

frog, where are you?

Copyright © 1969 by Mercer Mayer, All rights reserved.

This edition published by arrangement with Dial Books for Young Readers,
a division of Penguin Young Readers Group, a member of Penguin Group (USA) Inc.

本书由 Penguin Group (USA) Inc. 授权贵州人民出版社在中国大陆地区独家出版、发行.

版权所有，违者必究

图书在版编目（CIP）数据

梅瑟·迈尔大师系列 .1/（美）迈尔著；

—贵阳：贵州人民出版社，2008.11

ISBN 978-7-221-08288-6

Ⅰ.梅… Ⅱ.迈… Ⅲ.图画故事—美国—现代 Ⅳ.I561.85

中国版本图书馆 CIP 数据核字（2008）第 168047 号

青蛙，你在那里？ [美]梅瑟·迈尔 著

出版人	曹维琼	经　销	全国新华书店
策　划	远流经典文化	印　制	北京尚唐印刷包装有限公司（010-60292266）
执行策划	颜小鹏 李奇峰	版　次	2008年12月第一版
责任编辑	苏桦 颜小鹏	印　次	2012年11月第四次印刷
设计制作	曾念	成品尺寸	130mm×175mm 1/32
出　版	贵州出版集团公司	印　张	1
	贵州人民出版社	书　号	ISBN 978-7-221-08288-6
地　址	贵阳市中华北路289号	定　价	42.00元（全6册）
电　话	010-85805785（编辑部）0851-6828477（发行部）